NSX
CAPTEUR
LENTILLES
ÉNERGIE
AA)
RÉGÉNÉRATEUR DE PÉTROLE
INVENTION N° 314
COMPRESSEUR POLYMÉRIQUE
CANON À ONDES GAMMA
BROYEUR
RECONFI-GURATEUR ORGANI-QUE
U_{235}
RÉCEPTACLE
INVENTION N° 111
ROBOT DÉPOUILLEUR
MOTEUR ÉLECTRIQUE
PILE AU LITHIUM
TÉLÉCOMMANDE
CAMÉRA
LASER
1 MILLIMÈTRE
NVENTION N° 69
ACHINE POUR APPRENDRE À EMBRASSER
LÈVRES en
ILICONE
RÉGLAGE D'INTENSITÉ
LUBRIFIANT
ASPIRATEUR POUR LA SUCCION.
INVENTION N° 63
BOTTONEIGE
MOTEUR
TUYAU D'ÉCHAPPEMENT
PATIN
CHENILLETTE
NTION N° 201
CTEUR
TRIQUE POUR
CONTRÔLE À DISTANCE
SATEUR
FIXATION
GÉNÉRATRICE
INVENTION no 1621
SOURIS ÉLECTRONIQUE
CAPTEURS SOLAIRES
CAMÉRA
MOTEUR ÉLECTRIQUE
(SENSEURS TACTILES)

Rémi

Van l'inventeur

Jacques GOLDSTYN

X-21
VA FAIRE MES DEVOIRS ...
IL M'EN FAUT UN!
GOLDSTYN

LES DÉBROUILLARDS

Table des matières

Catalogage avant publication de Bibliothèque et Archives Canada

Goldstyn, Jacques

Van l'inventeur

(Collection Les Débrouillards)
Bandes dessinées.
Pour les jeunes de 9 à 14 ans.

ISBN 2-89579-058-2

I. Titre. II. Collection.

PN6734.V38G64 2005
j741.5'971 C2005-941059-0

Nous reconnaissons l'aide financière du gouvernement du Canada par l'entremise du Programme d'aide au développement de l'industrie de l'édition (PADIÉ) pour nos activités d'édition.

Conseil des Arts du Canada **Canada Council for the Arts**

Bayard Canada Livres inc. remercie le Conseil des Arts du Canada du soutien accordé à son programme d'édition dans le cadre du Programme des subventions globales aux éditeurs.

Cet ouvrage a été publié avec le soutien de la SODEC. Gouvernement du Québec – Programme de crédit d'impôt pour l'édition de livres – Gestion SODEC.

Dépôt légal – 4e trimestre 2005
Bibliothèque nationale du Québec
Bibliothèque nationale du Canada

Éditeur : Jean-François Bouchard
Directeur, collection Les Débrouillards : Félix Maltais
Graphisme : Mathilde Hébert
Révision : Hélène Veilleux
Coloration des pages 39 à 46 : Geneviève Guénette

4475, rue Frontenac
Montréal (Québec)
Canada H2H 2S2
Téléphone : (514) 844-2111 ou 1 866 600-0061
Télécopieur : (514) 278-3030
Courriel : edition@bayard-inc.com

Imprimé au Canada

Une fille à la hauteur

OUI OUI, J'AI BIEN COMPRIS COMMENT ÇA MARCHE.
MERCI VAN.
WOW! LES SOULIERS!
COOOL!
AYOYE... AU MOINS 15 cm!

MAIS NADIA, ON NE TE LAISSERA JAMAIS ENTRER À L'ÉCOLE AVEC CES SOULIERS.
SURTOUT QUE LA DIRECTRICE EST LÀ!
ELLE SEMELLE DE TOUT!

EUH... ALLEZ-Y, JE VOUS REJOINDRAI PLUS TARD...
???

BONJOUR MADAME LA DIRECTRICE...
BONJOUR NADIA.

ELLE EST ENTRÉE AVEC SES SOULIERS ?!!
COMMENT ELLE A FAIT?
MYSTÈRE.

À LA RÉCRÉ...
HIHIHI! MON SECRET? LE VOICI.

POUR MONTER, J'APPUIE AVEC LE GROS ORTEIL GAUCHE.
ZZZOUUP

POUR DESCENDRE, J'APPUIE AVEC LE DROIT...
CLIC!

JE VEUX BIEN VOUS RÉVÉLER LE NOM DE L'INVENTEUR MAIS JE COMPTE SUR VOTRE DISCRÉTION
OFFICIEL
SÛR
BEN VOYONS

CONTACT
PISTON
VAAAAAAAAAAANNN!

Ça pète le feu !

OUF! JE SUIS CREVÉ. QUELLE PARTIE!
T'AS PAS DONNÉ TON 110%!
JE N'AVAIS AUCUNE ACCÉLÉRATION AUJOURD'HUI.
ÇA DOIT ÊTRE LES PATINS...
ROBERT, VIENS ME VOIR À MON LABO, DEMAIN.
?
LE LENDEMAIN...
WOW! DES PATINS À RÉACTION!
VITESSE MAXIMALE : 80 Km/h. AUTONOMIE : 60 MINUTES. 0-30 Km/h EN 3 SECONDES.
COOL!
PULSORÉACTEUR
LE PRIX ?
ALLONS FAIRE UN ESSAI SUR LA RIVIÈRE...
BONNE IDÉE!
J'AI TELLEMENT HÂTE À LA PARTIE DE DEMAIN.
JE FIXE LES BIDONS DE KÉROSÈNE À TES MOLLETS.
METS LE CASQUE.
LA TROUSSE DE PREMIERS SOINS?
BON. ÉCOUTE-MOI BIEN. POUR ALLUMER LES RÉACTEURS, C'EST LE BOUTON VERT ...
VERT?
POW!
...ET POUR ARRÊTER, C'EST LE BOUTON ROUGE ...
?
RRRRRRRCH

L'appel de la souffleuse

J'HAÏS ÇA!!
C'EST TOUJOURS MOI L'ESCLAVE!
HÉ, SPARTACUS, TU EN OUBLIES!
ET ON ANNONCE 30 cm DE PLUS POUR DEMAIN!
J'AI LA SOLUTION À TON PROBLÈME.
TADAM!
ON DIRAIT UNE BANALE TONDEUSE À GAZON.
ERREUR!
CLIC!
TCHAK!
MIEUX QU'UNE SOUFFLEUSE!
LA NEIGE EST ASPIRÉE PAR ICI. ENSUITE ELLE EST FONDUE PAR LA CHALEUR DU MOTEUR...
EAU
MOTEUR
275°C
NEIGE
UN PEU PLUS TARD...
WOW!
VRRRRR
ÇA MARCHE! ET JE N'AI QU'À ENVOYER L'EAU À LA RUE!
VRRRRRRRR
MISSION ACCOMPLIE
4 MIN 57 SEC.
C'EST PAPA QUI VA ÊTRE CONTENT...
LE VOILÀ QUI ARRIVE...
CENSURÉ
POLICE

Les sphères, je m'en occupe !

« J'EN AVAIS MARRE D'ENTENDRE MA MÈRE ME DIRE :
VAN, FAIS TON LIT!
ZUT.
MONDE N° 2
... ALORS ÇA M'A DONNÉ UNE IDÉE. »
OUI! JE VAIS FAIRE MON LIT!
MONDE N° 28
LE LENDEMAIN
ET VOILÀ LE RÉSULTAT: LE LIT DE L'AVENIR!
IL M'EN FAUT UN!
UN CAISSON REMPLI DE 3000 PETITES SPHÈRES CREUSES EN PLASTIQUE, COMME DANS LES JEUX POUR ENFANTS
ET C'EST AUSSI CHAUD QUE DES COUVERTURES?
TU OUBLIES QUE L'AIR EST LE MEILLEUR ISOLANT.
HUM... QUEL CONFORT.
FINI LES COUVERTURES ET LES DRAPS EN DÉSORDRE. MON LIT SE REFAIT AU-TO-MA-TI-QUE-MENT.
ET C'EST SOLIDE CES PETITES SPHÈRES?
SOLIDE? TU VAS VOIR.
HOP!
AYOYE!
MEOWW!
TU AVAIS RAISON, CES SPHÈRES ONT BIEN RÉSISTÉ...
ON NE PEUT PAS EN DIRE AUTANT DE CES SPHÈRES-LÀ...
HOU HOU HOU HOU HOU HOU
FSCHHHH

N.T.T. (navette tout-terrain)

MOI QUI CROYAIS TOUT SAVOIR SUR LA NAVETTE SPATIALE, J'AI APPRIS QUELQUE CHOSE D'ÉTONNANT.
HÉ! TU ES TROP PRÈS!

LORS DE LA RENTRÉE DANS L'ATMOSPHÈRE, SES RÉSERVOIRS SONT À SEC.

LA NAVETTE SE POSE ALORS COMME UN GROS PLANEUR. ET CONTRAIREMENT À UN AVION, ELLE NE PEUT PAS REMETTRE LES GAZ.

IMAGINEZ UN PEU SI LA NAVETTE S'ÉGARAIT AU-DESSUS D'UN TERRAIN ACCIDENTÉ; CE SERAIT LA CATASTROPHE!!!
HOUSTON... WE HAVE A PROBLEM...
ÇA M'A DONC DONNÉ UNE IDÉE.
SLUUUUUURPPP
ZZZ
LE LENDEMAIN, AU CENTRE SPATIAL...
JE METS DU CARBURANT. JUSTE ASSEZ POUR DÉCOLLER.
REGARDE CE QUE TU FAIS!
DÉCOLLAGE RÉUSSI!
FRRRRRR
MAINTENANT, OBSERVEZ BIEN L'ATTERRISSAGE.

APRÈS LE BRAS SPATIAL, VOICI LES JAMBES SPATIALES!
C'EST LE PIED!

Vol de vélo

CENSURÉ
OH! LES GROS MOTS!

ON M'A VOLÉ MON VÉLO! ILS SONT PARVENUS À CASSER MON CADENAS EN «U»!
TALETRAK? TADMANIAK? TAPIOKAK?
JE VAIS INVENTER UN TRUC POUR RÉGLER TON PROBLÈME.

He

5 JOURS PLUS TARD.
MAIS... QU'EST-CE QUE TU AS FAIT À MON NOUVEAU VÉLO?
BON. D'ABORD, ÇA NOUS PREND UN POTEAU DE CE TYPE.

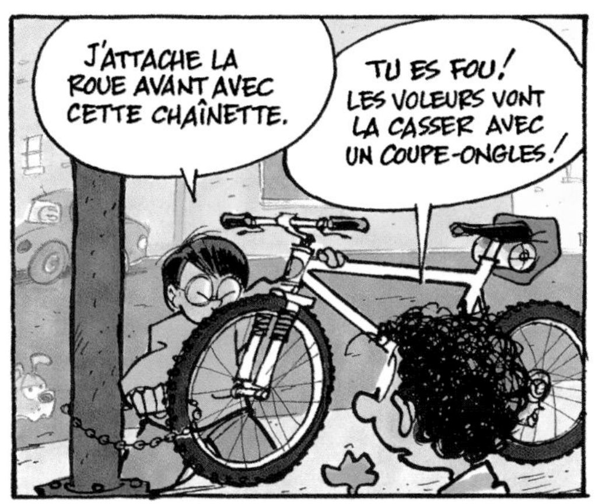
J'ATTACHE LA ROUE AVANT AVEC CETTE CHAÎNETTE.
TU ES FOU! LES VOLEURS VONT LA CASSER AVEC UN COUPE-ONGLES!

CLIC!
PFFFT...

PFFFT...

FFFFT

GÉNIAL!
TU N'AS PLUS À CRAINDRE LES VOLEURS!
SAUF LES VOLEURS VOLANTS.

FFFFRRR...
ET POUR RÉCUPÉRER TA BÉCANE, JE DÉGONFLE LE BALLON À DISTANCE...
GÉNIAL!
CLIC!

MAIS, SIMON...
J'AI DIT: MONTE!

Tente épatante

SAC À DOS, SAC DE COUCHAGE, RÉCHAUD, TROUSSE DE PREMIERS SOINS, TENTE...
NON. LA TENTE, C'EST MOI QUI L'APPORTE.
VENEZ PAR ICI
GLOU GLOU GLOU GLOU
WOW!
COOL!
BURP!

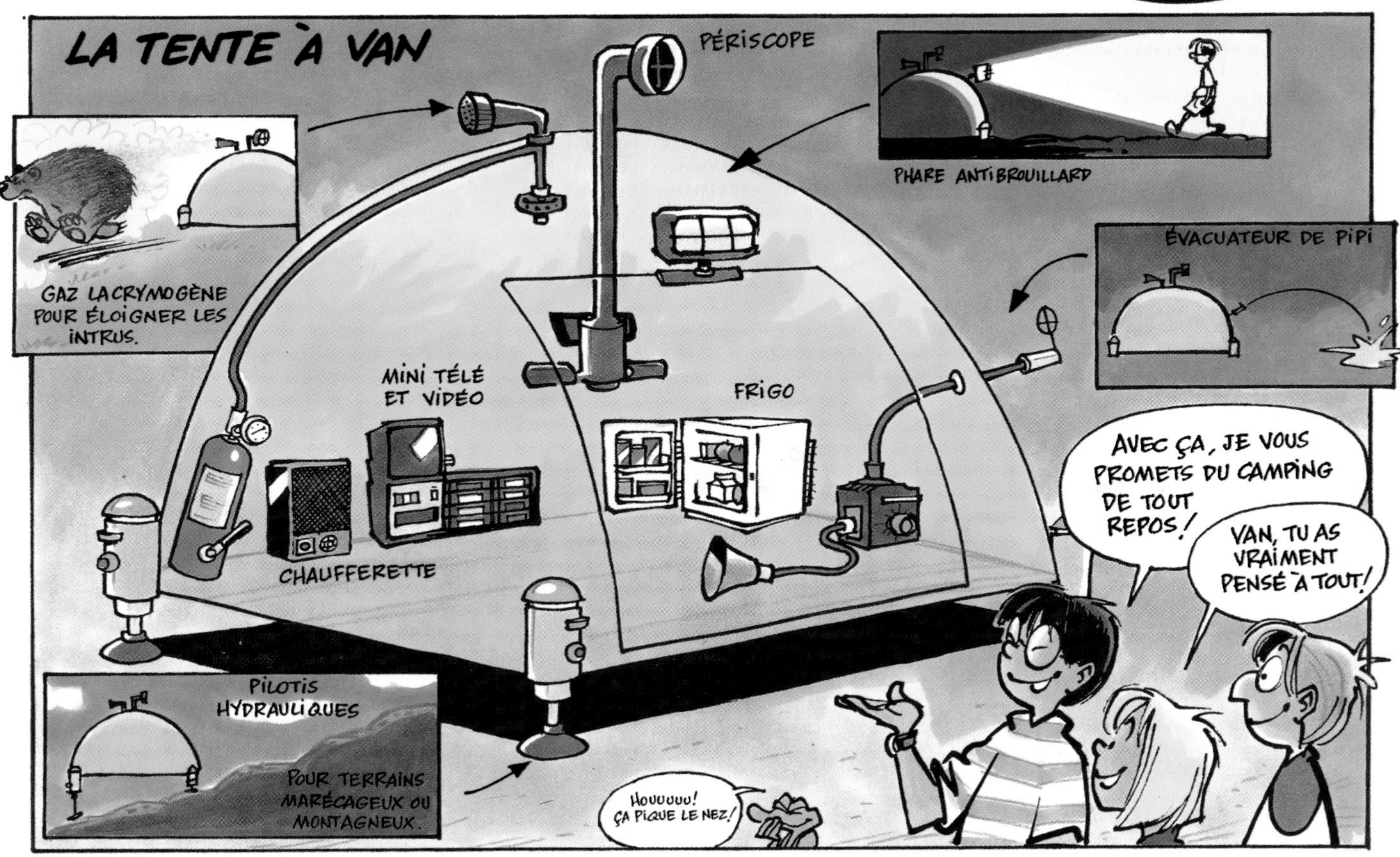
LA TENTE À VAN
PÉRISCOPE
PHARE ANTIBROUILLARD
GAZ LACRYMOGÈNE POUR ÉLOIGNER LES INTRUS.
ÉVACUATEUR DE PIPI
MINI TÉLÉ ET VIDÉO
FRIGO
CHAUFFERETTE
AVEC ÇA, JE VOUS PROMETS DU CAMPING DE TOUT REPOS!
VAN, TU AS VRAIMENT PENSÉ À TOUT!
PILOTIS HYDRAULIQUES
POUR TERRAINS MARÉCAGEUX OU MONTAGNEUX.
HOUUUUU! ÇA PIQUE LE NEZ!

Van avale la pilule

SNIF SNIF
PATATES BOUILLIES, CHOUX DE BRUXELLES. BEUHHHH...
AÏE. LES PRODUCTEURS AGRICOLES VONT NOUS TOMBER DESSUS!
CECI EST UN CAS D'URGENCE POUR MON COMPACTO!
JE PLACE LES ALIMENTS INDÉSIRABLES DANS LE COMPACTO.
LE COMPACTEUR D'ALIMENTS
ENTRÉE DES ALIMENTS
DÉSHYDRATEUR
COMPACTEUR
PILES (AA)
GIVREUR À SUCRE
SORTIE
JE METS EN MARCHE. LA NOURRITURE EST ALORS COMPACTÉE, DÉSHYDRATÉE ET MOULÉE...
RRRRRRRR
RÉSULTAT: UNE PETITE PASTILLE ENROBÉE DE SUCRE.
POP!
HOP!
VOILÀ MAMAN! J'AI TOUT MANGÉ!
C'EST QUOI LE DESSERT, MAMAN?
DU GÂTEAU AU CHOCOLAT.
TON COMPACTO, C'EST BON AUSSI POUR LE GÂTEAU.

rage de dent

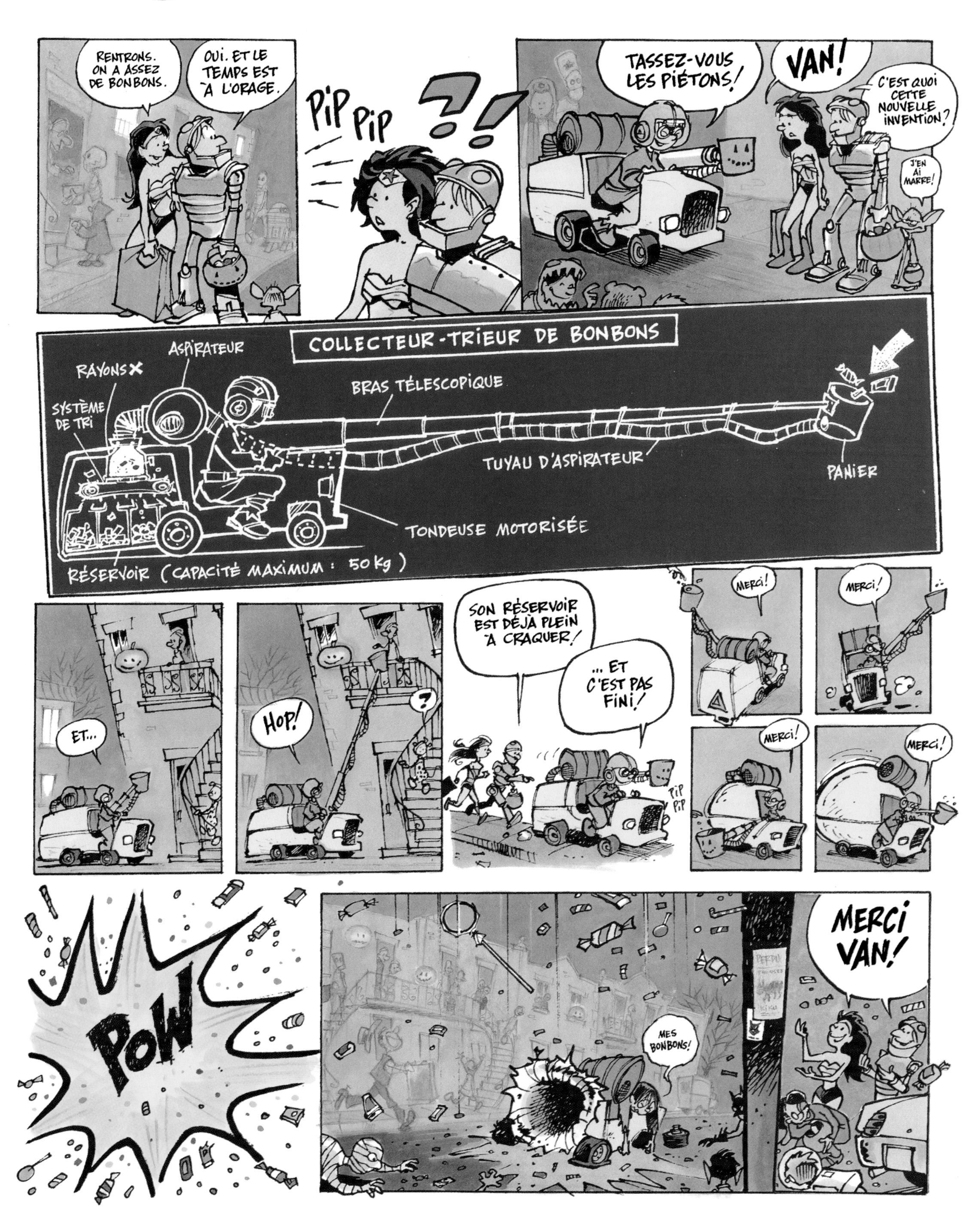

RENTRONS. ON A ASSEZ DE BONBONS.
OUI. ET LE TEMPS EST À L'ORAGE.
PIP PIP
?!
TASSEZ-VOUS LES PIÉTONS!
VAN!
C'EST QUOI CETTE NOUVELLE INVENTION?
J'EN AI MARRE!
COLLECTEUR-TRIEUR DE BONBONS
ASPIRATEUR
RAYONS X
SYSTÈME DE TRI
BRAS TÉLESCOPIQUE
TUYAU D'ASPIRATEUR
PANIER
TONDEUSE MOTORISÉE
RÉSERVOIR (CAPACITÉ MAXIMUM : 50 kg)
ET...
HOP!
?
SON RÉSERVOIR EST DÉJÀ PLEIN À CRAQUER!
... ET C'EST PAS FINI!
PIP PIP
MERCI!
MERCI!
MERCI!
MERCI!
POW
MES BONBONS!
MERCI VAN!

Hélico presto

MAUDIT PARAPLUIE!
T'AS UN PÉPIN ?
LA TOILE EST DÉCHIRÉE ET IL Y A DES BALEINES CASSÉES!
DES CÉTACÉS RUINÉS ?
TIENS. ÇA ME DONNE UNE IDÉE.
PAS POSSIBLE!

LE LENDEMAIN.
BONJOUR NADIA..
?
?

HOP! VOILÀ LE PARAPLUIE DE L'AVENIR...
CLIC!
!

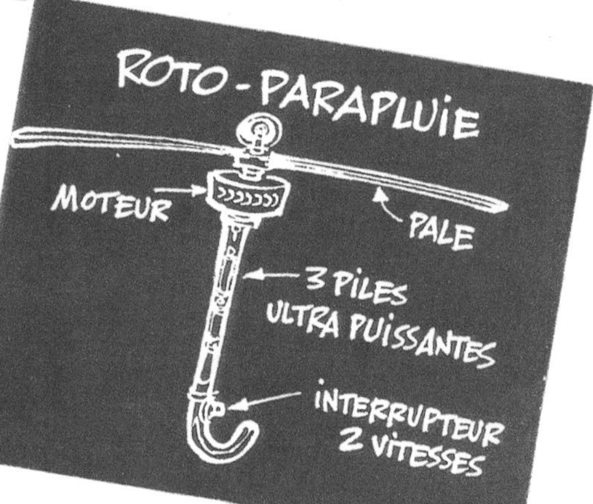
ROTO-PARAPLUIE
MOTEUR
PALE
3 PILES ULTRA PUISSANTES
INTERRUPTEUR 2 VITESSES

ZZZZZ...
HÉ! ÇA MARCHE!

ET MAINTENANT, GRANDE VITESSE.
ZZZZZ
CLIC!
POUR LES PLUIES TORRENTIELLES.

ZZZZZZ...
HÉ!

ALLÔ, LA BASE. NOUS AVONS ÉTABLI LE CONTACT VISUEL AVEC L'O.V.N.I.
DANGER
2-LC

Un chat seul sachant s'alimenter...

POUSSE-TOI, GIZMO.
HÉ! C'EST POUR TOI QUE JE TRAVAILLE. DÉGAGE!
DÉPÊCHE, VAN. NOUS PARTONS BIENTÔT.
OUI. J'AI PRESQUE TERMINÉ.
C'EST QUOI CE BAZAR?
MA DERNIÈRE INVENTION POUR NOURRIR GIZMO.
S.A.G.E.
SYSTÈME D'ALIMENTATION POUR GIZMO ESSEULÉ
ORDINATEUR
MINUTERIE
ALIMENTATION EN EAU
OUVRE-BOÎTE
RÉSERVE DE CONSERVES
BAC DE RECYCLAGE
BOL
REGARDE. IL VA TE FAIRE UNE DÉMONSTRATION.
CLIC!
KLANG
ZZZZZ
FLOTCH!
C'EST BIEN, MAIS IL VA MANGER TOUTES LES BOÎTES D'UN COUP!
NON. LA MINUTERIE EST RÉGLÉE POUR UNE BOÎTE PAR JOUR.
CLIC CLIC
ALLEZ GIZMO, ON SE REVOIT DANS TROIS JOURS.
SOIS SAGE. HIHIHI!
MINUTERIE
TROIS JOURS PLUS TARD.
GIZMO?
GIZ-MO?
GIZ...
MEOWW!
BURP!

Fort sans effort

HUMPF! PAS FACILE DE CONSTRUIRE UN FORT!
ZZZZZZ
LE FORTIFICATEUR
CAMÉRA
MONTE-CHARGE
COMPACTEUR
ASPIRATEUR
MOTEUR
A ASPIRATION
B COMPACTAGE
C ÉJECTION
ÇA RESSEMBLE À UNE SOUFFLEUSE À NEIGE.
LÀ S'ARRÊTE LA RESSEMBLANCE.
VRRRRRR...
STOP! HALT! ZTOP!
ET HOP! JE LE PROGRAMME POUR TRAVAILLER TOUTE LA NUIT!
COOL!
DRRRIIING!
?
...

Un lunch qui a du punch

ENCORE UN SANDWICH AU BALONEY!
GRMMLR... MA SOUPE EST TIÈDE
LES LUNCHS À L'ÉCOLE, C'EST PLATE!
PAS AVEC MA NOUVELLE BOÎTE À LUNCH!
?
?
?
HAUT-PARLEURS
ÉCRAN PLAT
SYNTONISEUR
FRIGO
CONGÉLATEUR
FOUR
CASSETTES ET DISQUETTES
CLAVIER
ELLE EST MUNIE D'UN FOUR. IDÉAL POUR LA PIZZA OU LE CROQUE-MONSIEUR.
PIZZA AUX ANCHOIS...
LE FRIGO, POUR LES YOGOURTS. LE CONGÉLATEUR POUR LES FRIANDISES GLACÉES.
SLURP.
VOUS DÉSIREZ UNE AMBIANCE AGRÉABLE?
MUSIQUE!
LE TOP 50 À CKON!
RADIO NÉVRALGIE
CKON, LA RADIO DES...
COMME DESSERT: LA TÉLÉ, INTERNET OU LES JEUX VIDÉO...
À MOI À MOI!
ET EN PLUS, IL Y A...
OH NON! BIF!
MERCI, VAN.
HU HU HU!
HÉ?!
CLAC
CLAC
... UN SYSTÈME DE SÉCURITÉ AVEC MENOTTES...
...POIVRE DE CAYENNE...
...ENCRE INDÉLÉBILE...
ET...
POP!
HÉ, BIF! REGARDE: J'AI MÊME INTÉGRÉ UNE TROUSSE DE PREMIERS SOINS!
POP
BIF A MANGÉ LA CLAQUE...

L'affaire est dans le sac

L'ANNÉE DERNIÈRE, TOUT LE MONDE AVAIT RI DE MOI.
POISSON D'AVRIL!
MAIS CETTE ANNÉE, ILS NE RIRONT PAS!!!
QUE VAS-TU FAIRE?
RESTER À LA MAISON? ÉMIGRER À OUAGADOUGOU? ACHETER UN LANCE-FLAMMES?
VAS-Y, NADIA, ACCROCHE-MOI CE POISSON DANS LE DOS.
?
BON, D'ACCORD.
?
VRRRR
!
VVVRRRRRR
SLURP!
ASPIRO-POISSONS
TUYAU
OUVERTURE
BRETELLE
SAC
MOTEUR D'ASPIRATEUR
CONTRÔLE DE LA PUISSANCE
VAN, C'EST LE MOMENT DU VRAI TEST!
PUISSANCE MAXIMALE.
CLIC!
VOILÀ VAN!
NOTRE CIBLE PRÉFÉRÉE!
SALUT VAN!
À MOI L'HONNEUR!
VRRRR
HÉ, MON BRAS!
VRRRRR
OH-HO!
MMLBMMB!
HUMPF! J'EN AI ATTRAPÉ UN GROS!
ON LE FAIT BOUILLIR OU FRIRE?
AH NON, SANS FAÇON. JE NE MANGE PAS DE ÇA!

Vélo 007

VAN...
MATHIEU... OH?!

J'AI ÉTÉ ATTAQUÉ PAR UN CHIEN EN VÉLO.
UN CHIEN EN VÉLO? FAUDRA EXAMINER CE BOBO À LA TÊTE.
TU TOMBES BIEN...
VOICI MON TANDEM SUPER SÉCURITAIRE.

UN PEU PLUS TARD...
ARFARFARF
C'EST LUI! FUYONS!
NO PROBLEMO
CLIC
UN MÉLANGE D'ULTRASONS ET DE POIVRE DE CAYENNE

HAHAHA! LE MOLOSSE A FRAPPÉ UN OS!
KAÏ KAÏ KAÏ!

CLIC
ET REGARDE CE QUE JE RÉSERVE AUX CHAUFFARDS UN PEU TROP « COLLEUX »

WOW!

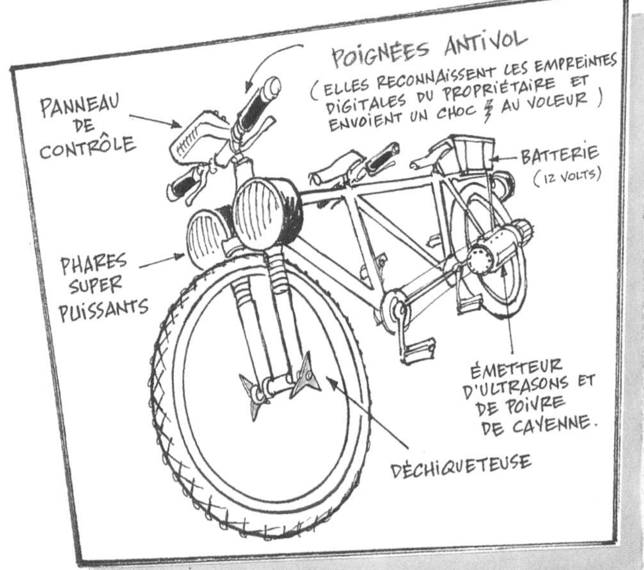
POIGNÉES ANTIVOL
(ELLES RECONNAISSENT LES EMPREINTES DIGITALES DU PROPRIÉTAIRE ET ENVOIENT UN CHOC AU VOLEUR)
PANNEAU DE CONTRÔLE
BATTERIE (12 VOLTS)
PHARES SUPER PUISSANTS
ÉMETTEUR D'ULTRASONS ET DE POIVRE DE CAYENNE.
DÉCHIQUETEUSE

LA BATTERIE DE 12 VOLTS? JE L'AI EMPRUNTÉE À MON PÈRE.

VAN, TU ES VRAIMENT CHANCEUX D'AVOIR DES PARENTS AUSSI COOL!

La crème des inventions

ON NE DISCUTE PAS. IL FAUT METTRE DE LA CRÈME.
ENCORE? MAIS TU M'AS DÉJÀ CRÈME HIER!
MAMAN, TU PEUX ME CRÈMER LE DOS S'IL-TE-PLAÎT?

PULVÉRISATEUR DE LOTIONS SOLAIRES
CRÈMES SOLAIRES
LOTION PREMIERS SOINS
15
30
PISTOLET
COMPRESSEUR
LE LENDEMAIN.
MAMAN, C'EST SUPER!
FERME LA BOUCHE.
APRÈS, C'EST MOI!
NON. C'EST MOI!

N'OUBLIE PAS MES DESSOUS DE BRAS.
PFFF! PAS TOUJOURS JOJO COMME BOULOT...
Hiiiiii ON LUI VOIT LA CRAQUE DES FESSES!

... MAIS ÇA A QUAND MÊME SES BONS CÔTÉS...
HÉ, VAN! TU AS UN COUP DE SOLEIL? TU ES TOUT ROUGE!

WOW! VAN, TU EN AS FAIT DU FRIC!
59
60
61
62
...

LE LENDEMAIN
ALORS VAN, LES AFFAIRES SONT À L'EAU AUJOURD'HUI?
OH, C'EST PAS SI MAL.
HOT DOGS
30¢
PAS CHERS LES HOT DOGS!

HAHAHA, TU VEUX RIRE, IL N'Y A PAS UN BAIGNEUR SUR LA PLAGE.
HÉ! OÙ EST LA MOUTARDE?
HOT DOGS

POUR LA MOUTARDE, C'EST 25 CENTS.
Vinaigre
Ketchup
Moutarde
HOT DO

Invention mémorable

BUDACREST : HONGRIE
BUCAPEST : ROUMANIE..
NON
150 CAPITALES À APPRENDRE PAR COEUR
CALMOS, BOB. J'AI CE QU'IL TE FAUT !
MEMOREX
MINUTERIE
ANALYSEUR DES PHASES DU SOMMEIL
CONVERTISSEUR D'ONDES SONORES EN ONDES ALPHA
ÉCOUTEUR
CASSETTE FORMAT VIDÉO
D'ABORD, TU ENREGISTRES CE QUE TU VEUX MÉMORISER : RÈGLES DE GRAMMAIRE, TABLES MATHÉMATIQUES, STATISTIQUES...
TESTING TESTING 1-2...
TU METS LES ÉCOUTEURS AVANT D'ALLER FAIRE DODO. L'APPAREIL SE MET EN MARCHE AUTOMATIQUEMENT...
.. QUAND TU ATTEINS LA PHASE DE SOMMEIL PROFOND. TON CERVEAU ENREGISTRE ALORS CE QUI LUI EST RÉPÉTÉ PLUSIEURS FOIS.
ET ÇA FONCTIONNE ?
TU PARLES ! J'AI PU APPRENDRE LA MOITIÉ DE L'ANNUAIRE TÉLÉPHONIQUE.
COOL !
ET L'AUTRE MOITIÉ ?
BUDAPEST : HONGRIE
BUCAREST : ROUMANIE
MADRID : ESPAGNE
LISBONNE : PORTUGAL
STOCKHOLM : SUÈDE
OSLO : NORVÈGE
HELSINKI : FINLANDE
MOSCOU : RUSSIE
...
JE COURS L'ESSAYER !
HÉ !
BANG
HUMPF
DÉSOLÉ, FRÉROT, JE SUIS PRESSÉ. 'FAUT QUE J'AILLE DORMIR.
MES POKÉMON !
PIKA !
DORMIR... DORMIR...
BULBASAUR · CHARMANDER CHARMALEON SQUIRTLE CATERPIE SPEAROW PIDGEY DUGTRIO
PIDGEOTTO RATTATA PIKACHU RAICHU SANDSHREW CLEFAIRY MEOWTH
VULPIX JIGGLYPUFF ZUBAT ODDISH GLOOM VILEPLUME KABUTOPS
VENONAT KABUTO MAGNEMITE GASTLY CHANSEY STARYO ABRA
MEWTWO POLIWHYRL NIDORINO GOLBAT EEVEE SEEL TANGELA
GOLDSTYN

Tracteur secoueur

GRRRR... JE DÉTESTE LES FEUILLES.
J'ADORE LES FEUILLES!
HÉ, CARO! J'AI LA SOLUTION!
C'EST PLUS QU'UN TRACTEUR. ALLEZ MONTE!
IL M'EN FAUT UN!
INVENTION N°257
RÉCEPTACLE ACCORDÉON
PINCE
BRAS RÉTRACTABLE
VIBRATEUR
TRACTEUR
IL NE VA PAS TRÈS VITE TON TRACTEUR.
HÉ! C'EST PAS UNE FERRARI!
C'EST QUOI CE GROS MACHIN EN AVANT?
UNE VOILE? UN RADAR? UN RIDEAU DE DOUCHE?
JE VAIS M'AGRIPPER AU TRONC.
JE DÉPLOIE LE RÉCEPTACLE.
ET VOILÀ LE TRAVAIL!
TIENS? C'EST QUOI CE TRUC?
ON DIRAIT UN...
PLUS VITE!
JE T'AI DIT: C'EST PAS UNE FERRARI!
ZZZZZBZZZZZZZZZZZZZZZZZZ
PUT PUT PUT PUT
GOLDSTYN

Bonbonne de neige

HÉ, VAN, OÙ VAS-TU AVEC TA PLANCHE À NEIGE?
KIM, TU VAS ASSISTER À UNE PREMIÈRE MONDIALE!
PFFFF
GICLO-NEIGE
MANOMÈTRE
EXTINCTEUR À NEIGE CARBONIQUE
GICLEURS
BRETELLES
TUYAUX
INVENTION N° 15
TU VAS FABRIQUER TA PROPRE PISTE DE NEIGE?!!
OUI. JE PENSE AVOIR ASSEZ DE NEIGE POUR PARCOURIR 500 MÈTRES.
1... 2... 3... GO!
FRRRRR...
ZUT, ÇA NE GLISSE PAS! PUISSANCE MAXIMUM!
FRRRRRRR...
?
FRRRRX
UN BONHOMME DE NEIGE LE 1er NOVEMBRE, C'EST UNE PREMIÈRE MONDIALE!
HÉ, FROSTY! UN P'TIT SOURIRE...

Guerre froide

OH NON!
NOTRE FORT... COMPLÈTEMENT DÉTRUIT.
LE LÂCHE! IL A FAIT ÇA PENDANT NOTRE ABSENCE.
MAIS QUI EST LE ! QUI A FAIT...
NOTRE BELLE RADIO...
...ÇA?
POF!
C'EST MOI* HIHIHIHI!
HUHUHU
HAHAHA!
AH! IL VEUT LA GUERRE...
PLUS TARD.
C'EST UNE VIEILLE MACHINE À LANCER DES BALLES DE BASEBALL
BING
INVENTION no 67
LANCEUR DE BALLES DE BASEBALL AMÉLIORÉ.
MIRE
BOULES DE GLACE
CANON
TRÉPIED
PE... PESANTES, CES BOULES DE GLACE...
ELLES SONT FAITES AVEC DE L'EAU LOURDE?
JE METS LA PUISSANCE AU MAXIMUM!
VAN, TU ES SÛR QUE...
FEU!
POW!
VLAM!
CRACK
SBLING
CRACK
SCROUNK!

L'abominable scaphandre des neiges

DÉPÊCHE-TOI SIMON. PLONGE!
AAARG! J'AI DE LA NEIGE DANS LE COU ET DANS LES MANCHES!
JE DÉ-TES-TE ÇA!
BAISSE-TOI!
HIHIHIHI
SIMON, J'AI LA SOLUTION À TON PROBLÈME.
INVENTION N° 271
CASQUE
JOINTS ÉTANCHES
VIEUX SCAPHANDRE SOVIÉTIQUE (1967)
EN TOUT CAS, C'EST CHAUD!
ON VA TESTER SON ÉTANCHÉITÉ DANS LE BANC DE NEIGE.
GÉNIAL! C'EST SUPER ÉTANCHE!
ATT...
POF!
?
POF
POF
POMPOM...
À L'ATTA...
... QUE... TEHEU! J'ÉTOUFFE... JE.
AAAAH! VAN, AU SEC...
SCRACK!
VAN AVAIT OUBLIÉ LA BONBONNE D'OXYGÈNE.
TU DOIS UNE FIÈRE CHANDELLE À VAN.
DES CHANDELLES, IL M'EN A FAIT VOIR AU MOINS 36!
MAIS LÀ, ÇA VA MIEUX.
SIMON, VOICI UN CASQUE ADAPTÉ À TON LÉGER HANDICAP.
VAN, TU AS LA BOSSE DES INVENTIONS.
O2

Réalité réelle

PFFF... CES PETITS JEUX VIDÉOS M'ENNUIENT. PLUS AUCUN DÉFI...
VIENS UN PEU ESSAYER MON JEU VIDÉO.
INVENTION n° 382
LE CRR CASQUE À RÉALITÉ RÉELLE
CASQUE
GAME BOY
MANETTES
METS LE CASQUE
ACTIONNE LES MANETTES
AH! JE CONNAIS CE JEU. C'EST HOSTILE WORLD. SUPER FACILE.
ATTENDS. OÙ EN ES-TU?
JE DESCENDS LE TORRENT EN PIROGUE ET...
SPLASH
?!?
IN-CRO-YA-BLE! J'AI VRAIMENT LA SENSATION D'AVOIR ÉTÉ ASPERGÉ.
JE CONTINUE.
MAINTENANT, JE FRANCHIS LA COULÉE DE LAVE... AÏE, JE SENS LA CHALEUR!
QUEL ENFER!
AÏE! OUILLE! LES TERMITES GÉANTES M'ATTAQUENT! AYOYE! ÇA PINCE!
SUR LE SENTIER DES DINOSAURES, JE CONTOURNE LES EXCRÉMENTS DE...
POUAH! QUELLE PESTILENCE!
DES BOAS CONSTRICTORS M'ÉTOUFFENT! MPFF!
OUCH!
LES ÉLÉPHANTS M'ÉCRASENT!
HUMPF!
ZUT! JE... SUIS... GAME OVER!
FORMIDABLE! JE PEUX ENCORE L'ESSAYER?
C'EST 5 DOLLARS.
CRACHE LE CASH!

Il connaît la musique

CAROLINE T'ES LA PLUS FINE
BONNE PRATIQUE, LES GARS. ON EST PRÊTS POUR LA FÊTE DE CAROLINE.
LUNDI
DRIINGG
ALLÔ, MATHIEU? TU ES À L'HÔPITAL?! L'APPENDICITE? MON PAUV' VIEUX...
ON FERA SANS TOI.
REPOSE-TOI BIEN.
MARDI
COMMENT ÇA UN TOURNOI DE HOCKEY À TORONTO?!
ET LA FÊTE DE CARO?
ÇA VA, J'AI COMPRIS.
MERCREDI
DE LA MORTALITÉ DANS TA FAMILLE? TON ARRIÈRE GRAND-MÈRE DE SHAWINIGAN...
NON, ON SE PASSERA DE TOI...
MES CONDOLÉANCES SIMON.
MAIS JE VAIS ÊTRE TOUT SEUL!!! JE NE SUIS PAS UN HOMME-ORCHESTRE!
HOMME-ORCHESTRE
TING!
ÇA FAIT UNE DEMI-HEURE.
J'EN PEUX PLUS!
CARO, FAIS QUELQUE CHOSE!
CHUUUUT! VOUS VOYEZ BIEN QUE ÇA LUI FAIT PLAISIR...
KLANG!
BA DA BOUM!
PONN!
OH CAROLIIINE, TU ES MA POUTIIINE

Une idée enleVANte

TU AS INVENTÉ QUOI ?!
HUM ?
VAN, J'AI MIS AU POINT LA TÉLÉTRANSPORTATION !
A
B
FRIGO
HAUT
INVENTION N°1
INVENTION N°1 Télétransporteur
Démodulateurs ioniques
vecteur de transfert
CAGES SPATIO-TEMPORELLES
HAHAHA, TRÈS DRÔLE ! C'EST IM-POS-SI-BLE ! SURTOUT AVEC DES BOÎTES DE CARTON COMME ÇA.
L'IMPORTANT, CE SONT LES DÉMODULATEURS IONIQUES ET LE...
VAN ! NE TOUCHE PAS S'IL-TE-PLAÎT.
COMMENT ÇA MARCHE TON TRUC ?
ON VA FAIRE UN ESSAI AVEC ÉMILIE.
QUI EST ÉMILIE ?
UNE PETITE FILLE QUE JE GARDE.
ON REFAIT COMME HIER ?
J'ACTIONNE LA MACHINE
ÉMILIE, NE BOUGE PAS !
WOUUUUUUUUUUUUUUUUUUUUUUUU...
CARO, ARRÊTE TON CIRQUE !
BON. J'ARRÊTE.
TADAM ♫
VAN, VAN ! C'ÉTAIT JUSTE UN POISSON D'AVRIL !

Ne te dégonfle pas

BONJOUR LES JEUNES.
UN VÉLO C'EST PAS TRÈS PRATIQUE POUR POURSUIVRE LES VOLEURS...
POLICE
AU CONTRAIRE, UN VÉLO, ÇA SE FAUFILE PARTOUT!
POLICE
EN PARLANT DE VÉLO, VIENS VOIR MA DERNIÈRE INVENTION.
QUEL BIDOUILLEUR, CE VAN...
INVENTION no 346
LE PNEU INCREVABLE «AERO»
BULLES D'AIR
GRÂCE À MON INVENTION, FINIS LES CREVAISONS.
JE NE TE CROIS PAS.
?
VIENS, ON VA FAIRE UNE DÉMONSTRATION.
DES CLOUS? DU VERRE?
NE T'INQUIÈTE PAS, IL NE PASSE JAMAIS D'AUTOS PAR ICI.
MAINTENANT, PRENDS LE VÉLO ET...
AU VOLEUR!
?
AU NOM DE LA LOI, JE VOUS ARR...
MAIS... QU'EST-CE QUE...
POF!
POF!
KA... KRASH!!
OUCH!
99.95 $ LA PAIRE...
... AVEC UN RABAIS DE 10% POUR LES POLICIERS
POLICE

Tondeuse grand prix

SALUT LES GARS!
WOOO!
WOW!
C'EST VAN VILLENEUVE!
INVENTION no 647
LA TONDEUSE FORMULE 1
BAC
DÉCHIQUETEUSE
BUSES
LAMES ROTATIVES
J'AI COUPÉ CE GAZON-LÀ EN 2 MINUTES ET 24 SECONDES ET ÇA M'A RAPPORTÉ 10$!
À LA FIN DE L'ÉTÉ, JE VAIS POUVOIR ME PAYER UNE FERRARI!
HÉ! TI-GARS!
J'AI UN TERRAIN QUI EST PLUS GRAND QUE CELUI-LÀ ET...
IL FAUDRAIT LE TONDRE TOUS LES 3 JOURS.
20$ POUR LES GRANDS TERRAINS.
ON SIGNE UN CONTRAT ?
QUELLE BONNE AFFAIRE!
QUELLE BONNE AFFAIRE...
ON ARRIVE.
JE VAIS VOUS FAIRE ÇA RAPIDO PRESTO!
VROAP VROAP

Fais de l'air !

HÉ!
ATTENTION!
?!
CCRASH!
TUUUT!
INVENTION N°59
LE GILET PARE-CHOCS
BRETELLES
COUSSIN GONFLABLE
RADARS
RADARS
BIP BIP!
AVERTISSEUR
COUSSIN GONFLABLE
DISTRAIT
AUTO
RADAR
BIP BIP
1
GONFLEMENT DU COUSSIN N°1
2
BOÏNG!
3
BIP BIP
RADAR ARRIÈRE
4
GONFLEMENT DU COUSSIN N°2
BOÏNG
ET J'AI TROUVÉ D'AUTRES UTILISATIONS POSSIBLES...
IL M'EN FAUT UN!
FINIS LES PÉRILS DE L'ALPINISME...
OUPS!
... OU DU PARACHUTISME...
OUF!
BOÏNG!
CETTE POIGNÉE? ELLE SERT À...
AÏE! V'LÀ BIF!
SALUT LES MINUS...
DONNE-MOI ÇA. JE VEUX L'ESSAYER!
PSCHHH...
DÉGAGE!
PSCHHH...
BOÏNG!
GOLDSTYN

Réaction à la planche

INVENTION N° 191
LE SKATEBOARD À RÉACTION
CONTRÔLE DES FREINS
MOTEUR
FREINS À DISQUE
AH NON, DÉSOLÉ. TROUVE-TOI UN AUTRE COBAYE !
MAIS ROBERT, ÉCOUTE...
?
LA DERNIÈRE FOIS, AVEC TES PATINS À RÉACTION, ÇA S'EST MAL TERMINÉ.
AAAAAAAAAAH !
COMBIEN DE POINTS DE SUTURE ?
ROBERT, CETTE PLANCHE EST ÉQUIPÉE DE FREINS À DISQUE SURPUISSANTS.
SURPUISSANTS ?
SURPUISSANTS.
FAIS UN TEST SANS LE RÉACTEUR...
HOP !
SUPER !
ESSAYONS AVEC LE RÉACTEUR...
RODGER.
CLIC CLIC CLIC CLIC C...
3...2...1...
ATTENTION AU MUR DE BRIQUE.
?
LE LENDEMAIN
J'AI ÉQUIPÉ TON FAUTEUIL D'UN FREIN SUPER EFFICACE...
MLBBLMB...
ÇA VA T'EMBALLER.
ON VA FAIRE UN ESSAI.
15%
DANGER
CETTE FOIS, GARDE LES ROUES AU SOL !

Stade expérimental

ÇA RESSEMBLE AU « GEKKOMAT »*
OUI, MAIS MODIFIÉ « À LA VAN » !
* INVENTION ALLEMANDE POUR ESCALADER LES MURS
C'EST PARTI MON KIKI.
À QUOI SERT CETTE BONBONNE ROUGE ?
SOIS PRUDENT.
CLIC CLIC
POP !
POURQUOI ON N'A PAS PRIS LE FUNICULAIRE ?
POP
J'Y SUIS PRESQUE...
VICTOIRE !
OUF !
POP
POP
HÉ ! ON NE VA PAS REMARCHER TOUT ÇA !
DEMI-TOUR...
POP
POP
3... 2... 1...
COOL CETTE NEIGE CARBONIQUE !
INVENTION no 843
LE GLISSOMÂT
BOUTEILLE D'AIR COMPRIMÉ
NEIGE CARBONIQUE
VENTOUSES GICLEUSES

Abribus

VROOAP!
OUACH! UNE HEURE D'AUTOBUS! C'EST LONG ET PUIS C'EST SUPER INCONFORTABLE.
ÉCOLIERS
VIENS ME VOIR DANS MON LABO CE SOIR.

C'EST QUOI? UN AQUA-RIUM?!

ÉCOLIERS
PENSES-TU QUE LE CHAUFFEUR VA S'EN APERCEVOIR ?

LE LENDEMAIN
ÉCOLIERS

INVENTION no 467
CAPSULE ABRIBUS
LECTEUR CD
VIDÉO
FOUR À MICRO-ONDES
BIBLIOTHÈQUE
COUCHETTE
AMORTISSEUR
ÉCHELLE DE CORDE
AH! QUEL CALME! VRAIMENT, VAN EST À LA HAUTEUR!
HAUTEUR 3m10
ECOLIERS

Partie sur une balloune

HiHA!
HAHAHA. TRÈS DRÔLE. NON. JE NE M'ENTRAÎNE PAS POUR DEVENIR SHERPA...
C'EST SCHUMAKER...
MON CARTABLE, MES BOUQUINS, MES COLLATIONS, MON LUNCH, MES SOULIERS, MES VÊTEMENTS DE GYM, MES LIVRES DE BIBLIO
OUF!
CE SOIR-LÀ
BEPPO TOUCHE PAS À L'HYDROGÈNE.
GRRMLM... QUAND IL Y A DE L'HYDROGÈNE, IL Y A DE LA GÈNE!
INVENTION no 540
LE PORTE-FARDEAU
BALLON GONFLABLE
ARMATURE
BONBONNE D'HYDROGÈNE
BRETELLES
VALVE DE CONTRÔLE
LE LENDEMAIN
MON POIDS? 80 LIVRES*
POURQUOI ?
C'EST POUR LA TAILLE DU BALLON.
* 80 LIVRES = 38 KILOS
KILOGRAMMES
40 50 60 70 80 90 100
ÇA GONFLE!
PSCHHHH...
PSCHHHH...
je me sens toute légère...
NADIA!
VAN!
3...2... 1...

Chimie de l'amour

NON, ÇA NE VA PAS...
ALLEZ. TU PEUX TE CONFIER.
LE CH A PERDU HIER?

C'EST BIENTÔT LA SAINT-VALENTIN ET BZZ BZZ BZZZ......
PARLE PLUS FORT!

QUOI?! TU N'AS PAS DE VALENTINE?!
CHUUUUT!

OUPS. PARDON ROBERT. NE T'EN FAIS PAS. JE VAIS TROUVER QUELQUE CHOSE.
BEPPO. BOUCLE-LA!
ELLE AVAIT DE TOUS PETITS PETONS, VALENTIIINE...

LA SOLUTION DU PROBLÈME, C'EST LA PHÉROMONE.
LA FÉE ROMONE?

phéromone : substance chimique émise à dose infime par les animaux (en particulier les insectes). Elle provoque chez les congénères une prodigieuse attirance amoureuse

PSCHHHH
BONNE NOUVELLE, J'AI SYNTHÉTISÉ TON PHILTRE D'AMOUR...

ENVIRON 50 ml

TU VAS VOIR...
GLOU GLOU GLOU

LES FILLES...
BURP

... VONT TOMBER COMME DES MOUCHES

UN PEU PLUS TARD...
C'EST INODORE, INCOLORE...
FAIS-MOI CONFIANCE, C'EST TRÈS EFFICACE!

LE LENDEMAIN
ÉCHEC TOTAL ÇA N'ATTIRE PAS DU TOUT LES FILLES.
VIENS VOIR ÇA.

BEPPOUNET, JE T'AI REPASSÉ TA SALOPETTE...
NADIA, C'EST À MON TOUR DE LE MASSER.
ATTENDS UN PEU... REGARDE COMME IL EST HEUREUX.
BEPPO, TU ES LE PLUS BEAU... PETIT ANOURE, SOIS MON AMOUR...
UNE PETITE MOUCHE ENROBÉE DE CHOCOLAT?

L'amère surprise

ATELIER DE VAN
ENTRÉE INTERDITE
HÉ! TU NE FERMES PAS À CLEF ?
PAS BESOIN
MAIS, TU N'AS PAS PEUR DES VOLEURS ?
NON.
WOUOUUUOUUUU...
J'AI UN SYSTÈME DE SÉCURITÉ À TOUTE ÉPREUVE REDOUTABLEMENT EFFICACE!
CO... C... COMMENT ÇA FONCTIONNE ?
AÏE, JE N'AIME PAS CE SOURIRE...
JE T'EXPLIQUERAI ÇA DEMAIN. IL FAUT QUE J'AILLE FAIRE DES COMMISSIONS AVEC MES PARENTS.
TOUT CE QUE JE PEUX TE DIRE : C'EST QUE CELUI QUI VA ENTRER DANS MON ATELIER, IL VA S'ENNUYER DE SA MÈRE.
ALLEZ SALUT!
QUOI? TU N'AS PAS CROISÉ MAMAN ? ELLE EST PARTIE TE CHERCHER À L'ATELIER
WOUUUOUUUOUUUUOUUUOUUUOUUOUU
BOT BOT BOT
PSCHHHH
SCHHHHHH
RRRRRRR
LACRYMO
MOTEUR
AU SEC...
INVENTION no 2531
SYSTÈME DE SÉCURITÉ
ROUE «BOTTRICE»
TREUIL
CÂBLE
VAPORISATEUR DE POIVRE DE CAYENNE
GAZ LACRYMOGÈNE
PIÈGE
MOTEUR

Souris, Van !

DIS DONC, VAN, TON GIZMO, IL DEVIENT EMPÂTÉ.
MANQUE D'EXERCICE.
QUE VEUX-TU, IL N'A PAS BEAUCOUP DE SOURIS À CHASS...
HÉ! C'EST POUR TOI QUE JE TRAVAILLE, DÉGAGE!
INVENTION no 1621
SOURIS ÉLECTRONIQUE
CAPTEURS SOLAIRES
CAMÉRA INFRAROUGE
MOTEUR ÉLECTRIQUE
VIBRISSES (SENSEURS TACTILES)
REGARDE ÇA!
MEEEOW!
ALORS? MON GROS MATOU ...
PUF PUF PUF...
TU AS TROUVÉ PLUS FORT QUE TOI...
OUPS!
ZOUP
REVIENS...
ICI...
VERMINE...
2-0 POUR LA SOURIS!
ILS SONT FÉLINS POUR L'AUTRE...

La chute du huard

POW!
JE L'AI! JE L'AI. JE L'AI!
CARO, ELLE EST À TOI!
GO CARO!
BING!
JE DÉTESTE LE BASEBALL JE DÉTESTE LE BASEBALL JE DÉTESTE...
BOUGE PAS.
TU NE SERAIS PAS PARENTE AVEC CHARLIE BROWN?!
ÇA SENT LE BRÛLÉ
INVENTION N° 42
GANT VOLANT
RADAR
GANT
FILIN D'ACIER (20 MÈTRES)
REMBOBINEUSE
BONBONNE D'AIR COMPRIMÉ
LE LENDEMAIN
PLAY BALL!
FACILE, TU N'AS QU'À VISER ET LE RADAR FAIT LE RESTE
IL M'EN FAUT UN!
POW!
CAROLINE, ELLE EST À TOI!
VISE LA BALLE! VISE LA BALLE!
CARO!
COUAC...
POC
Y A-T-IL UN VÉTÉRINAIRE DANS LE STADE?!
PAUVRE CANARD.
C'EST PAS UN CANARD, C'EST UN HUARD.
ALLEZ BEPPO. FAIS-LUI LE BOUCHE À BOUCHE.
DÉSOLÉ, J'EMBRASSE PAS LES HUARDS...

Perds pas la boule!

PERCUTÉ UN ROCHER...
ÉJECTÉ...
BOBO...
OUILLE
MON PAUV' ROBERT!
J'AI TOUT FILMÉ.
VAN VEUT QUE TU AILLES LE VOIR À SON LABO.
SCALPEL.
PLUS TARD
C'EST DU MÉTAL QUE J'AI RÉCUPÉRÉ DANS UN CENTRE DE RECYCLAGE.
?
RIEN NE SE PERD, RIEN NE SE CRÉE.
INVENTION N° 203
VÉLO PROTECTO
CARAPACE RÉTRACTABLE (EN TITANE)
DÉTECTEUR DE COLLISION
SYSTÈME DE FIXATION
BON. ALORS VOILÀ. TU VAS FAIRE EXACTEMENT LE MÊME TRAJET QU'HIER.
DÈS QUE TU FRAPPES LE ROCHER, TU TE RECROQUEVILLES ET TU APPUIES SUR LE BOUTON ROUGE.
SCÈNE 1 PRISE 2.
BANZAI!
CLIC!
?!
ROBERT, ATTENDS!
BANG!
BANG!
?
90
VAN?
MÉTAL · RECYCLO
· ACIER · FONTE · CUIVRE
· ALUMINIUM · PLOMB · URANIUM

VOUS CONNAISSEZ SPIDER FROG?

Spider girl

SPIDER-MAN
AH! COMME J'AIMERAIS POUVOIR VOLER!
PRENDS DES COURS DE PILOTAGE.
ELLE EST TROP JEUNE.

NON, NON. VOLER COMME SPIDERMAN. EN LANÇANT DES FILS.

ÇA SENT LE PETIT CANARD À LA PATTE CASSÉE.
Cheez Whiz

INVENTION N° 277
LANCEUR DE TOILE
TUYAUX
COMPRESSEUR
RÉSERVOIR DE TOILE LIQUIDE
DÉCLENCHEURS

ATTENTION CAROLINE. C'EST ENCORE UN PROTOTYPE ET LE RÉSERVOIR DE TOILE EST VRAIMENT PETIT...
ÇA MARCHE! VAN, TU ES MON HÉROS!
CLIC
CLIC

C'EST FORMID...
CLIC CLIC CLIC
IT'S A BIRD?
IT'S A PLANE?

OH NON! C'EST PAS VRAI!!!
CLIC CLIC CLIC

JE... JE VAIS LÂCHER!

AAAAAAAAA

OH, VAN! TU ES MON SUPER HÉROS!
INVENTION N° 278
AILE VOLANTE
TUYÈRE
ÉTRIER
STABILISATEURS
GOLDSTYN

Cacarburant

SUPER VÉHICULE, VAN...
ET ÇA CONSOMME BEAUCOUP?
OUPS!
PUT PUT PUT
PANNE D'ESSENCE?
ET PAS DE STATION-SERVICE À L'HORIZON.
PAS DE PROBLÈME...
HÉ, VAN, OÙ VAS-TU?!
PLAF!
INVENTION N° 1245
VÉHICULE FONCTIONNANT AU GAZ MÉTHANE
EXCRÉMENTS
CONDENSATEUR DE MÉTHANE
PISTONS
AUTONOMIE 1 HEURE
MON MOTEUR FONCTIONNE AUSSI BIEN AVEC DU FUMIER DE POULET, DU CROTTIN DE CHEVAL OU DU LISIER DE PORC.
GÉNIAL!
LE SEUL INCONVÉNIENT, C'EST LA TROP COURTE AUTONOMIE.
UNE HEURE PLUS TARD
MERDE! ET PAS UNE VACHE EN VUE!
PUT PUT PUT PUT PUT
VROOAARR
PAS MÊME UNE CROTTE DE TOUTOU...
ON APPELLE LA CA CAA?
HUM.
BON. NOUS N'AVONS PAS VRAIMENT LE CHOIX... JE VAIS VOUS DEMANDER UNE PETITE CONTRIBUTION...
QUELQUES MINUTES PLUS TARD.
C'EST LA DERNIÈRE FOIS QUE JE MONTE DANS CETTE VOITURE DE
VROUM!

Cueillette en jet

VRRRRRR
VUUUU
COMMENT ROBERT S'EST-IL CASSÉ LA JAMBE?
INVENTION N°171
ENTRÉE D'AIR
HARNAIS
MOTEUR TURBO 150 cc.
MANETTES
TUYÈRES
IMPORTANT: 'FAUT ALLUMER LES DEUX MOTEURS EN MÊME TEMPS POUR ÉQUILIBRER LA POUSSÉE.
?
CRUNCH CRONTCH
ÇA MARCHE!!!
SALUT LES RAMPANTS! JE VOUS RAMASSE LES POMMES AU FAÎTE!
PFOUUUUUUUUU
LES POMOFÊTES?
HUM... PAS FACILE DE LÂCHER UNE DES MANETTES POUR RAMASSER LES POMMES
J'ESSAIE
HÉÉÉÉÉÉÉÉÉÉ
IL EST RESTÉ LONGTEMPS DANS LES POMMES?
AYOYE! LES DEUX JAMBES EN COMPOTE.
VAN, IL Y A TOUJOURS DES PÉPINS AVEC TES INVENTIONS.
UNE POMME PAR JOUR ÉLOIGNE L'INVENTEUR POUR TOUJOURS.

Robert avale la pilule

VAN, ÇA VA MAL. À L'ÉCOLE, J'OUBLIE TOUT.
?

ENCORE? TU N'UTILISES PAS MON INVENTION «MÉMOREX»
SLLUURRPPP
VOIR PAGE 19

NON. ÇA NE MARCHE PLUS. TU N'AURAIS PAS AUTRE CHOSE, COMME UNE PILULE MIRACLE?
PILULE MIRACLE?
AIDE-MOI VAN, C'EST BIENTÔT LES EXAMENS!
J'ADORE LE CAFÉ!
BROZAC
BIAGRA
BALIUM

ZONE DE LA MÉMOIRE
CERVELET
MOELLE ÉPINIÈRE
C'EST QUOI? DES OGM? DES CELLULES SOUCHES? DE L'ASPARTAME?

LE LENDEMAIN
VOILÀ LA POTION MAGIQUE. DANS 2 MOIS, TA MÉMOIRE SERA AMÉLIORÉE DE 50%.
WOW!
SEULEMENT 50%?!

MAIS IL TE FAUDRA SUIVRE LA POSOLOGIE RIGOUREUSEMENT.
RIGOUREUSEMENT?
RIGOUREUSEMENT.
POSOLOGIE: FAÇON DE PRENDRE UN MÉDICAMENT.

TU DOIS PRENDRE UNE PILULE VERTE LE LUNDI À 8 HEURES. LE MERCREDI À 21 H ET LE DIMANCHE À 13H, LA BLEUE, LE LUNDI À 12H30 ET LE JEUDI À 9H. LA ROUGE, LE MARDI ET LE VENDREDI À 17H30 ET À...

2 MOIS PLUS TARD
VAN, C'EST
TES PILULES GÉNIAL!!

AS-TU SUIVI LA POSOLOGIE?
À LA LETTRE! MAIS MA RÉSERVE EST ÉPUISÉE. IL M'EN FAUT D'AUTRES! IL M'EN FAUT D'AUTRES!
METS-LUI AUSSI UNE DOSE DE RITALIN.

BON, BON. ALLEZ, VIENS. ON VA EN FABRIQUER ENSEMBLE.
CHIC!
BONBON?

DE LA FARINE, DU SUCRE ET DU COLORANT... CE SONT LES INGRÉDIENTS
??!
OUI.

VOIS-TU ROBERT, QUAND ON VEUT VRAIMENT RETENIR QUELQUE CHOSE, ON A TOUS DE LA MÉMOIRE.
MAIS VAN, JE NE... COMMENT AI-JE PU... ...?!
OUBLIE ÇA...

L'invention 100 drôle !

JE M'ENNUIE DES PARFUMS DE L'ÉTÉ.

J'AI EXACTEMENT CE QU'IL TE FAUT !
?!

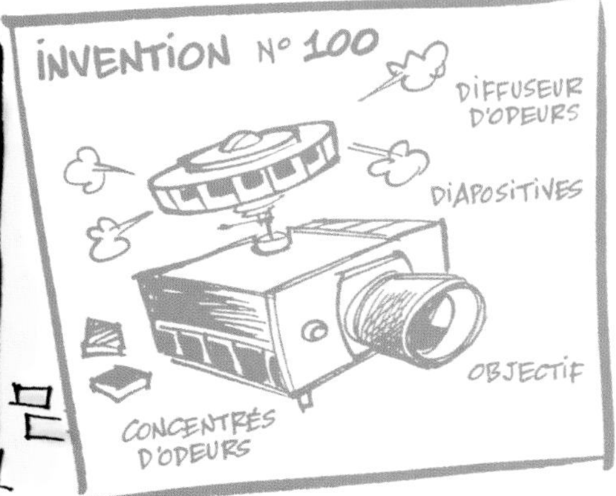
INVENTION N° 100
DIFFUSEUR D'ODEURS
DIAPOSITIVES
OBJECTIF
CONCENTRÉS D'ODEURS

OUVRE BIEN LES YEUX ET LES NARINES.
PEANUTS ICE CREAM
HÉ ! CE SONT NOS VACANCES À LA PLAGE !

SNIF... SNIF... MAIS... ÇA SENT LE BORD DE LA MER !
MOULES CREVETTES VARECH

VAN, C'EST GÉNIAL ! ON S'Y CROIRAIT !
ATTENDS, SENS-MOI ÇA !

AH, LA PISCINE, SNIF... SNIF... ODEUR DE CHLORE, DE CRÈME SOLAIRE AU COCONUT...
ÇA SENT LES P'TITS PIEDS

LA RONDE. ÇA SENT LA BARBE-À-PAPA, LA QUEUE DE CASTOR...
ET LE VOMI !

LE SÉJOUR À LA FERME : FOIN COUPÉ, FLEURS DES CHAMPS, J'ADORE !
BOUSE DE VACHE ET LISIER DE PORC !

ODEUR DE FEU DE CAMP ET PARFUM DE GUIMAUVES...
SNIF... ET DE... PLASTIQUE OU DE CAOUTCHOUC BRÛLÉ !!!

T'EN FAIS PAS... JE SENS QUE C'EST UNE GRANDE INVENTION.
ÇA SCHLINGUE !

Modèle glacé

WOW! SUPER, TON ROBOT SCULPTEUR!
OUI, IL PEUT SCULPTER N'IMPORTE QUOI EN UN TEMPS RECORD!
TOC TOC TOC
DZZZZ...
VAN, ON VA S'INSCRIRE AU CONCOURS DE SCULPTURE SUR GLACE!
?
MAIS...
LE CONCOURS SE TERMINE CE SOIR... GROUILLONS-NOUS!
TURE SUR GLACE
INSCRIPTION 5 $
BLOC Nº 47.
TIENS, TIENS?
ALLEZ, VAS-Y MICHEL-ANGE!
AÏE! LE ROBOT EST GELÉ.
47
ÂNE
ROBERT, ES-TU PRÊT À TOUT POUR GAGNER CE CONCOURS?
OUI!
GARDE LA POSE.
GLA GLA GLA...
QUEL RÉALISME!
UNE ENTREVUE POUR LA RADIO?
ON SENT VRAIMENT LA RAGE DU SPORTIF.
ALLONS À L'INTÉRIEUR...
CHOCOLAT CHAUD
RESTE DE GLACE, BOB
1er PRIX

Abri pour sans-abri

TIENS, C'EST PHIL...
TU LE CONNAIS?
Z Z Z.

BONJOUR PHIL, ALORS, PAS TROP GELÉ?
L'HIVER A ÉTÉ DUR SUR MON BANC. MAIS HEUREUSEMENT, LE PRINTEMPS EST DE RETOUR.
EN AVRIL, NE TE DÉCOUVRE PAS, PHIL!

DANGER

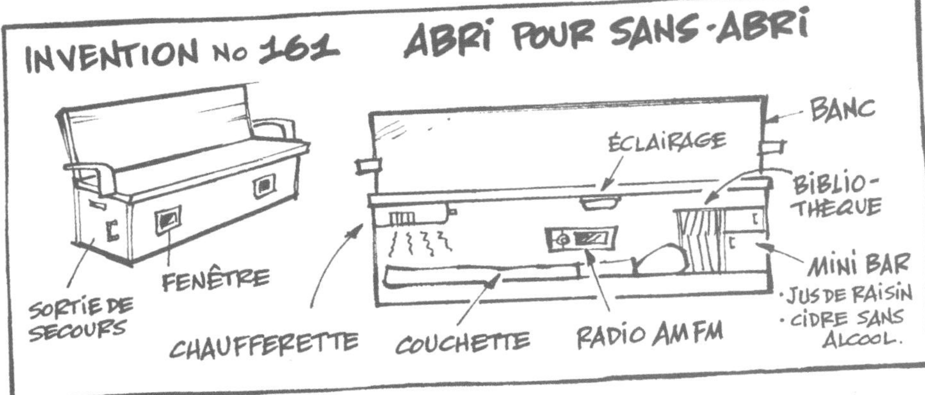

INVENTION No 161
ABRI POUR SANS-ABRI
BANC
ÉCLAIRAGE
BIBLIO-THEQUE
MINI BAR
· JUS DE RAISIN
· CIDRE SANS ALCOOL.
FENÊTRE
SORTIE DE SECOURS
CHAUFFERETTE
COUCHETTE
RADIO AM FM

LE LENDEMAIN
C'EST UNE HONTE!
MAIS ENFIN, CAROLINE...

TON INVENTION, C'EST UNE FAÇON DE CACHER LE PROBLÈME DES ITINÉRANTS!
PHIL AVAIT POURTANT L'AIR CONTENT...

LES SANS-ABRI NE DOIVENT PAS ÊTRE MIS EN BOÎTE!
INUTILE DE CRIER, CARO.
PSST... S'CUSEZ.

VAN, TON INVENTION EST SUPER...
...MAIS 'FAUDRAIT REVOIR L'INSONORISATION

Un skate qui décolle

NON, C'EST PAS UNE PISTE DE SKATE ORDINAIRE, C'EST UNE PISTE MAGLEV
MAG QUOI?
MAGLEV, POUR LÉVITATION MAGNÉTIQUE.
?
?
TU AS DÉJÀ REMARQUÉ LA FAÇON DONT 2 AIMANTS SE REPOUSSENT? LA LÉVITATION MAGNÉTIQUE FONCTIONNE SELON CE PRINCIPE.
APPUIE, LARVE ANÉMIQUE!
INVENTION N° 64
PISTE MAG LEV
CHAMP MAGNÉTIQUE
ÉLECTRO-AIMANT
220 V
CONTRÔLE
PISTE EN MÉTAL
ROBERT, TU VAS FAIRE LE TOUT PREMIER ESSAI.
MAIS... TA PLANCHE N'A MÊME PAS DE ROUES!
IL A RIEN COMPRIS!
INVENTION N° 65
SKATE MAG LEV
ÉLECTRO-AIMANT
SURFACE DE MÉTAL
WOW! LA PLANCHE FLOTTE AU-DESSUS DE LA PISTE!
ET JE N'AI PAS ENCORE MIS LA PUISSANCE MAXIMALE
QUELLE GLISSE!
ZÉRO FRICTION
PUISSANCE MAXIMUM!
OUAIS!
DANGER
OUPS!
GOLDSTYN

Du même auteur

Les Aventures des petits débrouillards
éditions *La Presse*, 1986. ÉPUISÉ.

Les Grands Débrouillards, *tome 1*
coauteur : Al + Flag,
éditions Héritage Jeunesse, Saint-Lambert, 1991
DISPONIBLE SUR www.bayardjeunesse.ca

Lâche pas la grenouille
éditions Héritage Jeunesse, Saint-Lambert, 1996
DISPONIBLE SUR www.bayardjeunesse.ca

La science morte de rire
éditions MultiMondes, Sainte-Foy, 2003

Mille milliards de Débrouillards
Bayard Jeunesse Canada, Montréal, 2004

LES DÉBROUILLARDS

Le Club des Débrouillards est un vaste mouvement d'éducation scientifique, qui comprend plusieurs activités, publications et produits.

Des activités d'animation dans toutes les régions : camps de jour ou de séjour, ateliers sur plusieurs semaines, animations en classe, etc. Ces activités sont organisées par les Conseils du loisir scientifique régionaux.

Les explorateurs
Prêts pour l'Halloween!
Débrouillards
Les trésors engloutis d'Alexandrie

Deux magazines mensuels, produits en partenariat avec Bayard Jeunesse Canada : *Les Débrouillards,* axé sur les sciences et la technologie, pour les 9-14 ans, et *Les Explorateurs*, qui porte surtout sur les sciences de la nature, pour les 6-10 ans.

Des livres d'expériences, des livres thématiques et des albums de bandes dessinées. Dernières parutions : *Les expériences des Débrouillards*, chez Bayard Jeunesse Canada, *Les Grands Débrouillards*, tome 2, chez Soulières Éditeur, et *Mille milliards de Débrouillards,* chez Bayard Jeunesse Canada.

Deux sites Internet : www.lesdebrouilllards.qc.ca et www.lesexplos.qc.ca.

Une aventure drôlement scientifique
Débrouillards
Eau secours! Professeur Scientifix
CREO

Des séries à la télévision.

Les expériences des Débrouillards
Par le professeur Scientifix
40 expériences excitantes

Des chroniques dans les journaux régionaux, via l'Agence Science-Presse.

Des produits dérivés, comme le cédérom *Eau secours! Professeur Scientifix*, une réalisation CREO.

Un grand concours annuel : Le Défi des classes débrouillardes.

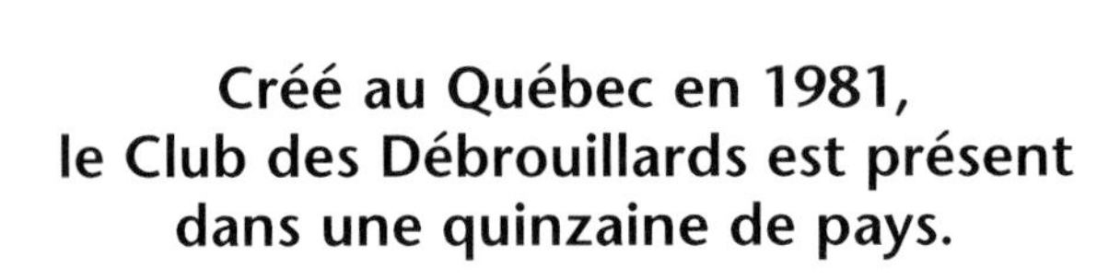

Créé au Québec en 1981, le Club des Débrouillards est présent dans une quinzaine de pays.

www.lesdebrouillards.qc.ca

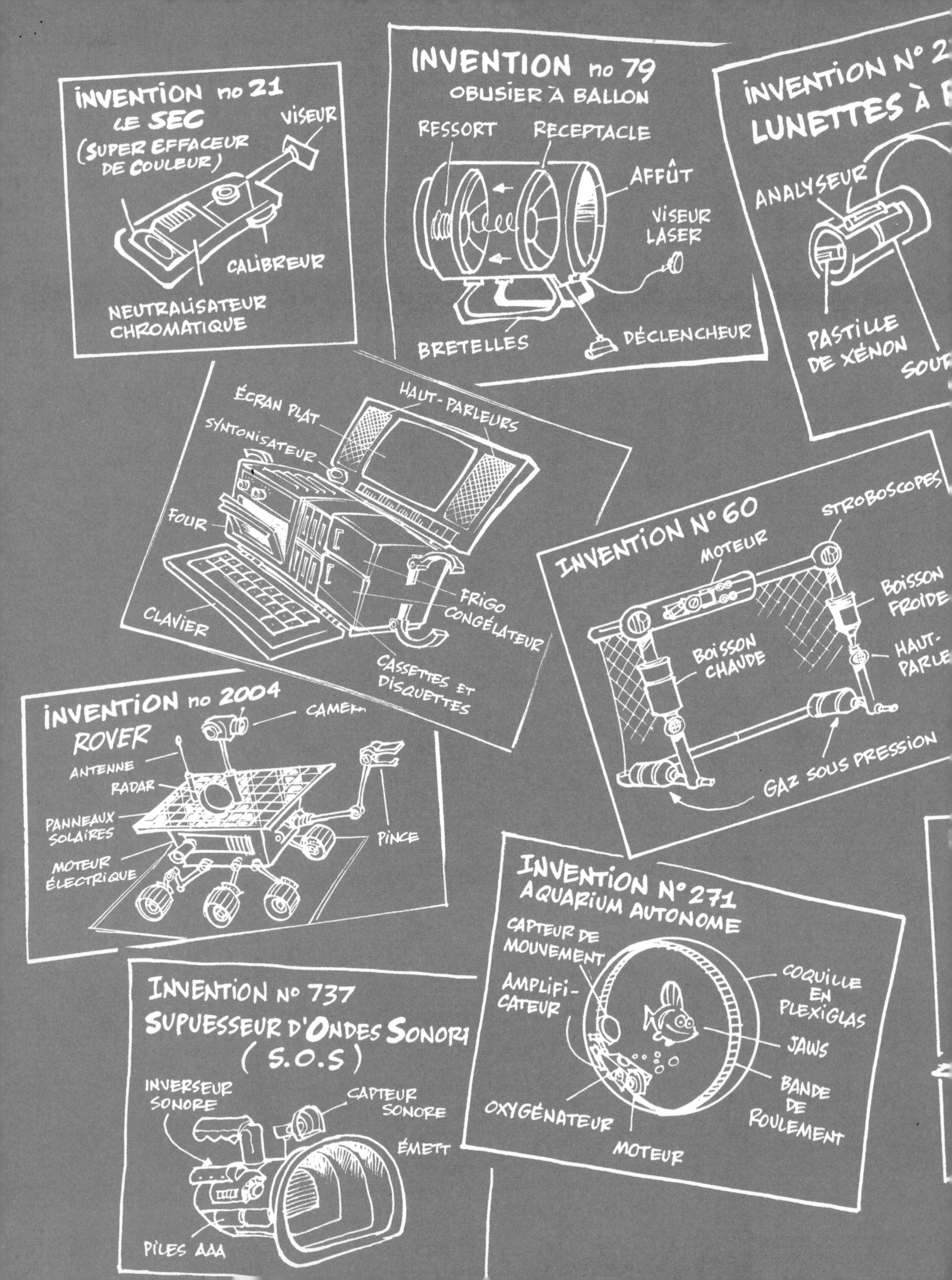
INVENTION no 21
LE SEC
(SUPER EFFACEUR DE COULEUR)
VISEUR
CALIBREUR
NEUTRALISATEUR CHROMATIQUE
INVENTION no 79
OBUSIER À BALLON
RESSORT
RECEPTACLE
AFFÛT
VISEUR LASER
BRETELLES
DÉCLENCHEUR
ANALYSEUR
PASTILLE DE XÉNON
ÉCRAN PLAT
HAUT-PARLEURS
SYNTONISATEUR
FOUR
CLAVIER
FRIGO
CONGÉLATEUR
CASSETTES ET DISQUETTES
INVENTION N° 60
STROBOSCOPES
MOTEUR
BOISSON FROIDE
BOISSON CHAUDE
GAZ SOUS PRESSION
INVENTION no 2004
ROVER
ANTENNE
RADAR
PANNEAUX SOLAIRES
MOTEUR ÉLECTRIQUE
PINCE
INVENTION N° 271
AQUARIUM AUTONOME
CAPTEUR DE MOUVEMENT
AMPLIFI-CATEUR
COQUILLE EN PLEXIGLAS
JAWS
BANDE DE ROULEMENT
OXYGÉNATEUR
MOTEUR
INVENTION No 737
(S.O.S)
INVERSEUR SONORE
CAPTEUR SONORE
PILES AAA